VOL. 19
악마에 입문했습니다! 이루마 군
OSAMU NISHI

& STORY
캐릭터 소개 & 줄거리

스즈키 이루마

지나치게 착해빠진 상냥한 소년. 부탁을 받으면 거절을 못 한다. 위기 회피 능력이 뛰어나다. 인간이라는 사실을 들키지 않고, 악마 학교를 평온하게 다니고 싶다.

아스모데우스 아리스

파괴와 미덕을 관장하는 가계의 악마. 입시 수석인 우등생. 입학식에서 이루마 때문에 체면을 구기고 발끈하지만, 결투로 완패한 후 이루마에게 충성을 맹세한다.

《특기 마술=화염계 주문》

발락 클라라

밝고 활기찬 여자 악마. 항상 야단법석에 조용할 때가 없어서, 주위로부터 괴짜 혹은 희귀 짐승 취급을 당한다. 이루마의 상냥함을 접하고 감동해서, 좋은 친구 중 한 명이 된다.

《가계 마술=한번 본 물건은 뭐든 주머니에서 꺼낼 수 있어!》

CHARACTERS

익스 엘리자베타

어브노멀 클래스의 동급생. 「누님」이란 애칭으로 불리고 있는, 색기 넘치는 악마. 음악제에서는 어브노멀 클래스의 주역을 맡고 있다.

푸르손 소이

어브노멀 클래스의 동급생. 「인식 저해」의 가계에서 태어나, 철저하게 존재감을 지워 왔다. 트럼펫에 재능이 있다. 실은 수다쟁이.

나베리우스 카르에고

매우 엄숙한 바비루스의 교사. 어브노멀 클래스의 담임. 음습한 성격이지만, 악마로서는 매우 우수. 이루마의 사역마이기도 하다.

지금까지의 이야기

인간 말종인 부모님에 의해 악마에게 팔려버린 스즈키 이루마는 마계의 악마인 설리번의 손자가 되어 악마 학교, 바비루스에 입학한다. 인간이란 사실을 숨긴 채 조마조마한 학교생활을 보내면서도, 악마 친구가 늘어난 이루마는 그런 생활을 점점 즐기게 된다. 그런 바비루스에서 가장 중요한 것은 수업을 통해 마계에서의 「랭크」를 올리는 것. 이루마를 비롯한 어브노멀 클래스 학생들은 학교로부터 2학년이 되기 전에 전원이 랭크 「4」가 되어야 한다는 과제를 받는다!! 이 무리한 과제를 달성하기 위해, 반드시 다음 행사 「음악제」에서 좋은 성적을 내야만 하는 문제아들. 맹렬한 연습을 통해 반 전체가 하나로 똘똘 뭉쳐가고 있지만… 푸르손이 가훈을 깨게 되면서 그의 아버지가 격노했고, 푸르손 본인도 모습을 감추고 만다. 과연 어브노멀 클래스는 열세 명이 함께 음악제의 무대에 설 수 있을 것인가…?!

CONTENTS

제161화 칭찬 감옥

♪인간~ 머리부터~ 발끝까지
우리의~ 먹거리~♪
둥
영혼, 피와 고기~~♪
남김없이 먹어 치우자~♪
짤랑
자아, 다들 집합해~. 집합해~.
딩~ 딩~ 딩~
준비는 됐지? 그럼 시작하자♪

음악제
설명무비
~선생님과 함께~
자아, 음악제가
돌아왔습니다~!!
와ー아!!
자아
바로 내일! 1학년 최후의 어필 『음악제』가 열립니다!!
다들ー 보고있어ー?!
좀 떨어져.
매해 음악제 안내를 저희 젊은 교사들이 맡습니다.
나 작년에 했어
큐카드 좋아 좋아
큐카드 더 웃겨!
즐기고 있는 것 같은데, 지금….

아무튼! 나는 하고 싶어! 설명①!
극비대본
좋아ー
개최 장소는 바비루스 강당이야!
관객도 들어와! 바비루스 2~3학년 선배들이 학생들을 보러 와!
학생들의 가족도 희망자는 입장 오케이야~.
그리고! 특별 심사위원도 와요!!
올해도 호화롭죠~!!

『전 13관』!!
데루키라 님 전속
전설의 음악가,
암두스키아스 님.
대형
악마돌 사무소
『데빌걸』 사장
큐파 님.
콘서트 티켓은
즉시 매진!
최고봉
마케스트라
『단테 팀』.
다이족
(多耳族)
메메 님.

하나같이 유명 악마네~~.
심사위원은 각각 6점 만점으로 채점해!
악
설명 무비
선생님과 함께
와아~
666
발표 순서는 추첨!
1
5
3
부정행위 금지
당일 대표자가 제비를 뽑아서 정해!
물론 우승한 반에게는 호화로운 특전을 제공하지!!
랭크 승급뿐만 아니라… 심사위원의 스카우트를 받아서 마계의 스타가 될지도 몰라! 자아, 결전은 바로 내일!!

죽을힘을 다해 어필해봐!
전력을 다해 주목받아 보라고, 1학년!!
우오오!!
내일이 기대되는 군요~! 어느 반이 우승하려나요?!
제 예상은….
뚝
방금 들었다시피

드디어 내일 음악제의 막이 오른다.
우리의 목표는 단 하나, 우승뿐이다.
휘익
배운 것을 최대한 발휘해라.
할 수 있는 건 전부 했다!!
즉!

허둥
지둥
허둥
좀 진정해라, 이 자식들아.
흐, 흥!! 전혀 긴장 안 했어! 그래, 괜찮아!!
여유롭다고──.
발이 후들거린다만?
덜
덜
덜
그렇지만!! 음악제가 내일이란 말을 들으니!!
연습한 만큼 더 무섭소이다!!
우엥
히익…

아무튼 다들 진정해.
알로켈, 책 거꾸로야!!
너나 진정해!
이루마 군단은 아예 합체했어.
꼬오옥
이루마가 뭉개지겠어!!
불안
허둥
이쪽으로 돌던가?
리본… 내 리본 어디 있지….
지둥
그림으로 그린 듯한 패닉 상태군….
하아
어쩔 수 없군요.
좋아요! 제가 악마돌(팬)에게 전수 받은!
자신감이 생기는 의식을 가르쳐 드리죠!!
그럼 재즈 씨, 이쪽으로 오세요.
오오~!!

자아, 거기 서세요.
?
움직이지 말아요.
믿음직한 형님!!
센스가 끝내줘!!
멋져!!
기지가 있어! 두뇌파!!
손재주 좋아!
어른스러워!!

손가락 놀림 완전 대박!
도둑질의 천재!!
이름하여 『칭찬 감옥』.
자신감을 주려면 이 정도는 해야죠.
휘 유
지옥 이군.
『칭찬 감옥』.
신앙하는 악마돌의 주위에 원형으로 둘러서세요.
그 후에 진심을 담아 최애 포인트를 외치세요.
다음!
화끈
최강의 바람술사!!
밥 잘해!
배려심 넘치는 악마!
부끄 부끄
멋져!!
실력파!!
항상 고마워! 진심이야!

이야, 차기 마왕!!
흐흠!
올라타기 좋아!!
남자다워!! 역시 황금 사자!!
완력 넘버원!! 뭘 먹으면 그렇게 덩치가 커지는 거야?!
똑똑해!!
잘생겼어!!
아름다움은 죄!! 미형(美刑)!!
의외로 순수해!!
능력 너무 세!!
스승도 귀여워
신사!! 매너가 좋아!
후후후…
후?
변태!!
욕망의 폭주 열차!!
나왔다! 화제의 중심!!
미스터 어브노멀!!
지극히 고귀하신 분이자 머지않아 마계의 주인이 될 자질을 지닌 고결하고 아름다우며 상냥한데다 실력도 갖춘 압도적
상냥해! 힐링!!
귀여워!
아즈아즈, 시끄러워!!

자아,
다음은 눈에 들어온 친구를
마구 칭찬해!!
장점을 가르쳐줘!!
어, 앗.
재능 덩어리야!!
너무 예뻐!
몸매가 부러울 정도야!!
이야기 나누기 쉬워서 좋아!!
왠지 엄청 즐거워지기 시작했어!!
아하하
자랑스러운 클래스메이트!!
너무 귀여워!!
상냥해! 멋져! 최고야!!
그리고 마지막은!!
또각

음악제의 불안과 내 아름다움….
뭐가 더 강해?

우오오오오오오
누님의 아름다움——!!!

누님! 우리의 누님! 여신!!
선생님도 같이 해요!!
칭찬 감옥!!
절대 싫다.
선생님~ 가운데로~
하지마라!!
빨리하고나해!!
하하하하
자아 오늘은 다들 푹 쉬어—.
웅성
웅성
내일 여섯 시에 봐!
아~ 재밌었어
응!
밥 많이 먹고 올게!
하하하
이루마.

내일…
꼭 성공
시키자!
다 같이
함께
말이야.
……….
응!
—잘됐어….
다들
긴장했지만…
걱정은 안 해.
믿고…
기다리고
있는 거야.

너를….

여기 있지?

이야기하러
왔어….
푸르손.
쏴 아…

제162화 잡담

어라?!
어라
벌써 다섯 시가 지났잖아!
큰일 났다. 연습 끝내자——.
넵~
어~
픽시… 요즘 연주를 안 해주네….
으~음
왠지 기운이 안 나~~.
무슨 일 있나….

휘이잉…
이 시간이면 항상 여기 있었잖아.
로열 원의 옥상.
이이잉

휘이잉…
푸르손, 여기 있지?
휘이
내가 너를 발견한 것도 여기였으니까….
분명…
있을 거야.

그런 고로 이제부터 여기에서
푸르손 씨의 비밀 대폭로 대회를 시작하겠습니다.
밀고서
스윽...
?!
우선 익명을 희망한 문제아 S 씨의 밀고입니다.
펄럭...
?!…?!

푸르손은 언동이 어른스럽지만 실은 입맛이 어린애 같아서 커피를 못 마신다.
!!!
고양이를 야옹이라고 부른 후에 다시 고양이라고 고쳐 말했다. (문제아 A)
!!
!!
한 발씩 번갈아 뛰기를 못 한다. (문제아 E)
!!!!!
한번은 진지한 표정으로 어떻게 하면 여자에게 인기 있는지 물어봤…. (교사 K)
휘익

슈우우우우우…
잠깐.
너, 대체 뭐야. 무드라는 게 있긴 한 거냐?
해 질 녘의 재회잖아. 이럴 때 할 이야기가 있지 않아? 그립고 아름다운 추억 같은 거 말이야.
흔들
흔들
다 같이 이딴 밀고를 하다니…. 커피 마실 수 있거든? 우유 넣으면 되고, 한 발씩 번갈아 뛰기도 할 수 있어. 나 정도면 잘하는 편이야.
특히 이 음험 교사, 정말 환장하겠네. 뭐 하자는 거냐고, 대체….

짜~잔
뭐 하는 거야.
잡담 만전 세트.
도시락
도시락
전에 교실에서 단둘이 이야기 할 때는
서로가 일방적으로 말했으니까.
잡담하자. 하고 싶은 말을 다 하는 거야.

분명 하고 싶은 말이
잔뜩 있을 거잖아.
——…화
안 났어?

갑자기 퇴학한다고 하고…
아무 말도 없이 너희 앞에서 사라졌잖아….
…….
놀라긴 했어.
그치만 다들 화났다기보다
걱정이 앞섰을 거야.
이야기를 듣고 싶을 거야.
나도…
푸르손과 더 이야기를 나누고 싶었어.
푸르손은 언제부터
트럼펫을 시작했어?

옛날에… 어머니가 주셨어.
하고 싶은 말이 있으면 여기에 쏟아부으라면서….
어머니는 상냥해서… 좋아했어.
물론 아버지도 좋아해.
완고하고 융통성이 없지만, 가문을 소중히 여기고
나한테 기대하시는 것도 많았지.

실제로 나한테는 밀정으로서의 재능이 있어.
나… 푸르손 가문에서 태어나서 다행이라고 생각해.
가업을 잇는 것도 자랑스럽게 생각해…….
하지만
음악제에 나가기로 한 후…
너희와 함께한 연습은…
너무 즐거웠고
트럼펫 연주를… 칭찬받은 것도 처음이었어….
그런데……
꾸욱…
집에 돌아오란 말을 들으니까…

어쩌면 좋을지
모르겠어 ……….

응.
즐거웠어…. 너희와 함께 있는 게….
하지만 가문의 규율을 어기면 아버님이 곤란할 테고…
어머님도 걱정하실 테지만… 나는 지금 여기에서….
그리고, 또,
응….
괜찮아. 하고 싶은 말을 다 해.
들어 줄게.

이런 감정은 처음이야.
응.
처음에는 모습이 들켜서 불안한 거라고 생각했는데, 너무너무 즐겁고 가슴이 뛰었어. 전부 처음 겪는 일이었거든.
이루마는 대단하고 불가사의한 애라고, 입학한 후부터 쭉 뒤에서 쳐다보며 생각했어.
하지만
실제로 이야기해 보니까 진짜 이상하고 대단한 데다 엄청 적극적이었어. 완전 제멋대로야. 남의 말을 좀 들어. 너무 억지스럽다고
트럼펫도 혼자 있을 때만 불어서 잘 부는지 못 부는지 몰랐어.
다들 나를 기억하지 못했잖아.
미안해.
실은 더 빨리 너희에게 말을 걸고 싶었어. 같이 얘기하고 싶었어.
후후…. 미안해.
잘 불었어.
쭉 같이 있었어. 모습을 감추고 있었지만 말이야.
응.
점심 중에선 B런치를 좋아해.
비행 레이스에서는 꽤 힘냈어. 쉽지 않았지만.
그래.
처형옥포 때도 공을 주웠어.
나도 그래.
너는 전부 좋아하잖아.
클라라가 잔뜩 만들어 냈잖아.
바트라에는 안 들어갔어. 못 들어 가거든.
고생 했겠네.
야키소바 바트라를 박살 냈지?
그랬구나.
재밌는데.
어? 그랬나?
불꽃 폭죽… 참 아름다웠어.

월터 파크…. 큰일이었지?
큰일 이었어.
나도 칭찬 감옥에 들어가고 싶어.
들어 가자.
요리도 말이지? 꽤 잘하게 됐어.
후후후.
학생회장과는 어디까지 갔어?
나, 게임기 최근에 선물 받았어.
좋겠다.
정말 이야?
수족관에 갔어.
나, 『로열 원』 때도 도왔어.
수확제 때 너무 무리한 거 아냐?
피아노 잘 치게 됐더라? 하긴, 엄청 연습했잖아.
그래?
맞아.
우승 축하해.
고마워.
푸르손도 같이 노력해준 덕분이야.
그런가?
고마워.
엄청 힘들었거든?
고마워.

……역시
나는 말이야… 이루마.
응.
음악제에 나가고 싶어.
하지만
가족과의 약속을 깨진 못해…. 하나를 고를 수 없어.
답을… 내놓지 못해서
미안해.

푸르손의
마음은… 알아.
가족을 소중히 여기는…
푸르손에게 있어 이 결단이 얼마나 어려울지…
음악제에 나가는 게 얼마나 힘든 일인지…
잘 알았어.
그래도 미안해.
너한테 하고 싶은 말은
지금도 변함없어.

너와 함께 하고 싶어.
푸르손 소이와 우리… 열세 명이 다 함께 무대에 서고 싶어.
소이가 없으면
안 돼.

그러니 우리는…
계속
너를 기…다….
쿨―…

휘이 앙…

가—앙
규웅
새들의
지저귐.
푸르고
맑은 하늘.
따뜻한
햇살과…
흘러가는
풍경.
고오오오오오오
제163화 암두스키아스

휘이잉
어?
어엇?!
빨라!!
어어어엇,
오페라 씨??!!
좋은
아침입니다,
이루마 님.
으
아니,
이게 무슨….
그게
말이지요.
부웅
부웅

「클래스메이트와 잡담을 나누고 오겠다」면서 그대로 밤새도록 돌아오지 않은 당신을 옥상에서 발견한 후, 집으로 데려가고 있습니다만.
아야
죄, 죄송합니다!!
숙
오늘은 중요한 음악제 날이죠.
탁
탁
탁
탁
서둘러 몸을 추슬러야 합니다.
다소 거친 수단도
각오 하시길.
히이이이익

우와!
이루마아아!! 어서 오려어엄!
에엥
철
푸덕
이사장님은 아침을 준비해주시길.
저희는 욕실에…
어어~.
첨벙
우왁
스윽…
이루마 님, 받으시죠.
밥 밥
멀멀

부글부글...
체력 회복 특효약!! 마시면 한동안 얼이 나간다!!
마셔 주십시오. (압박)
발랑
인중
아니, 이건, 저기,
부글부글 끓는데 ......
벌컥 벌컥
아
자아
이사장님도 준비하시죠.
심사위원 분들 마중에 늦으실 겁니다.
어서 오십시오! 잘 오셨습니다!
자아, 이쪽입니다!!

암두스
키아스
심사위원 세 분!
오오

큐파
메메
도착하셨
습니다!!

오 오 오 오 오 오 오 오 오 오
우와, 본인이야!!
어, 엄청 커.
큐파 님, 아름다워요!!
메메 님, 실물은 저렇게 작으시구나….
오라가 엄청나.
웅성
웅성
특히 전 13관! 암두스키아스 님!
마계 전체를 여행하고 있는 전설의 음악가.
멋져
그를 부르다니, 역시 설리번 이사장! 마왕에 가장 가까운 남자!!
웅성
웅성
처음 봐!!
움찔
째릿…
자아~
이 자리 입니다!
바비루스에 어서 오세요!!
의자 ——
무서워…
움찔

올해도 재미있는 음악을 기대하고 있어.
음.
콩콩!
나도 악마돌의 원석을 찾고 싶어!
작년에는 로노웨의 아들이 참 유쾌했지.
음.
올해도 대단해요 ~~!!
젊고 유망한 악마가 아주….
슥…
?
암두스키아스 님….
우뚝
스읍…

설리~~~~!!!
찌릿
?!
찌릿
어디 있는 거야!!
튀어 나와!!
찌리릿
?!
찌릿
?!
설리이이이이잇!!!
아니….
시작 됐어.
음.
우리도 티브레이크를 즐기자.
저, 암두스키아스 님…은 대체….
포로라고 불러! 나는 지금 엄청 열 받았거든?!

음악제 따윈 아무래도 좋아! 이 몸, 전 13관 암두스키아스 포로는
그 바보바보 설리번 공을 한 대 때려 주려고 온 거야!!
?!
…라고!
정말.
저벅
…윽
여전히
목소리가 되게 큰걸, 포로 군….
왔구나, 설…

짜-잔
리….
옷차림이 그게 뭐야….
훗-…
좀 바빠서….
손자가 음악제에 나가거든요.
식사 준비 했어
어머
그래? 참 기대되네.
아무튼
나는 말이지! 너한테 할 말이 아주 많다고.

손자?
자, 잠깐만!! 손자?! 너, 결혼 안 했잖아!!
중간 과정은 어디 간 건데?!
?!
그건 꼼수를 써서~.
허억
너… 서, 설마….
히이이익
데루키라 님의 아이인 건 아니겠지?!
그럴 리가 없잖아.
어떻게 하는데…
너라면 그러고도 남아!!

내가 아무리 다가가려고 해도 항상 네가 옆에 찰싹 달라붙었잖아!! 진짜 밉살스러웠다니깐!!
나의 데루!! 나의 데루인데!!!
대
앵
크윽
으윽
그건 네가 갑자기 달려드니까….
아무리 좋은 여자가 있어도 쳐다보지 않아서 이상하다고는 생각했어. 역시 그렇고 그런 사이였구나. 으앙, 데루키라 님!!
괜찮아. 그래도 좋아!!!
거 참 시끄럽네….
우
에—
엥
좀 진정하고 이야기 나누자.
다들 질렸잖아.
미안해
웅성
웅성
훌쩍
훌쩍

이
이미지와 다르네….
응
암두스키아스 님 하면
과거의 일화, 대연주회(리사이틀).
소근
소근
맞아!! 데루와 함께라면 그 정도는 식은 죽 먹기야!
하지만 지금은 혼자거든?!
그딴 소리 마!!
적군의 발을 666시간 묶어 둔 전설의 음마(音魔).
내 연주를 들어도 되는 건 데루키라 님 뿐이야….
내 연주는 전부 그분을 위한 거야.
그래서 나는 너를 만나러 온 거야….

왜
로열 원
『왕의 교실』을
개방했지?
경우에
따라선
내 연주로
널 죽일
수도 있어.

대체 어떤 바보가 쓰고 있는 거냐고!!!
튀어 나와!!
어어
어어
스윽...
…어브노멀 클래스.
제가 담임을 맡은 반입니다.
술렁…
카
카르에고 선생님!
보도
보도
문제아 이루마를 필두로 하나같이 시끄러운 학생들입니다만…
『로열 원』은 적법한 절차에 따라 열어서 이용하고 있습니다.
웅성 웅성
……카,

카르에고 ~~~!!!
여전히 귀여워~~
아~~~. 젊은 남자의 스멜…!!
꽉
와락!
그만 하십시오.
꺄아
꺄아
여전히 포로는 경을 좋아하는구나.
좋아!
카르에고 군! 그대로 제물… 접대를 부탁하지!
바보 이사자 아아앙….
그래서? 어브노멀 클래스라니? 가르쳐줄래?! 카르에고가 담임이야?
꾸우욱
으음, 네.
이루마라고?
움찔

이루마는
이사장의
손자이자
어
로열 원을
연 장본인
입니다.
…흐음?

이루마
…라.
빙글
빙글
빙글
나비야ー
후 후 후후
여기예요…
와~아
후후 후~
약이…
너무 셌던
걸지도
모르겠
군요….
우와~
음악제
개막까지
앞으로
다섯 시간.

헤헤
으~음….
이루마, 괜찮은 거야…?
흠냐—
무
문제 없어!!
오페라 씨의 말로는 아마 한 시간 정도면 정신 차릴 거라니까…!!
아마도
아마….
제164화 선전포고
뭐
억지로 깨우는 것도 좀….
으~~음
일단 음악제가 시작될 때까지 조용히….
쿵쿵쿵쿵

콰-앙!!
자아!!
포로,
도착——!!!
?!!
이야~ 로열 원~!! 간만이네~.
데루와의 이런저런 일이 생각나는걸~.
곤란 합니다, 암두스…….
포로 님, 음악제 직전에 이런….
포로.
누구?
괜찮잖아! 나는 그저….

꼬아──!!!
뭐 하는 거야, 이 망할 꼬맹이들아!!!
데루의 의자를 더러운 손으로 만지지 마!!
쉬잇, 쉬잇!
휘∼익
이 애벌레는 뭐야!!
아
애벌레∼
아앙∼ 데루의 의자∼
서, 선생님….
저분은 ……?
수상한데요…?
아니…
오늘 심사위원이신 암두스키아스 님이다.
에
전 13관인 …??!

하앙
맞아!
그리고 보러 왔어!
내 사랑 데루키라 님의 교실을 빼앗은 남자를 말이지!
?!
부들
부들
이 로열 원은 나와 데루키라 님의 추억으로 가득한 사랑의 보금자리!!
시~크릿 로맨스…
※본인의 개인적 이미지 입니다
그렇게 간단히 꼬맹이들에게 넘겨줄 것 같냐!!
어어~

후후후후후
자아! 튀어나와, 이루마!
네가 이 교실에 어울리는 남자인지, 내가 직접 음미를,
얍니다.
잠깐만, 거짓말이지?!!
말랑
흥냐…
상상한 것과 달라…
흑
흑
말랑말랑 하네…….
감정 변화가 무지 빠르시군.
뭐야, 대체…
베—럭
뭐야!! 이렇게 늘어진 애가 데루의 교실을 쓰는 거야?!
선전포고하러 온 내가 바보 같잖아!!
선전 포고?

너희의
과제는
알고 있어.
그리고 심사위원은
『로열 원』을 넘겨주고
싶지 않은 나.
음악제에서
전원 「4」가
못 되면
교실은
즉각 몰수.
맞지?
!!
어머나, 절망적이네!!
미안
하네~
뭐?!
잠깐.

음마님.
욱
!
그건 섣부른 판단이니라.
『욕망에 솔직』한 것은 좋다만… 벌써 『단정』짓는 건
너무 이르지 않을까?
……너.
괜찮은 남자네.
와락

앗——!! 사브로가 잡아먹히겠어!!
끄아
흐음
안 먹어! 아직은!!
아직은?!
두근…
두근…
『불안의 소리』.
!!
긴장이라기보단 초조한…
또끔…
원하는 걸 손에 넣지 못했다,
그런 소리가 들려.

너희들.
완벽한 상태가 아니지?
뭘 잃어버렸든 간에… 그런 엉망인 상태에서
끙…
이 나를 만족시킬 연주를…
대체 어떻게 들려줄 거지?

푸르손은 반드시 올 거예요.
쿠울~
뭐?
너, 무슨 소리를….
푸르?

소리가 달라졌어.
슬렁
슥…
암두스 키아스 님. 충고 감사합니다.
하지만… 걱정하지 마세요.

저희가 반드시 최고의 연주로
당신을 꿰뚫어 주겠어요.
…흐음.
한판 제대로 붙어보잔 거네!
그런 거라면 싫진 않아!
하암

이 몸을
함락시킬 수
있다면
어디
해봐!
망할
꼬맹이들…!
저벅…
왜 또
안아
드는
거지…
아——.
웅성
웅성
데비,
데비.

그럼!
음악제의 룰을 복습하겠습니다!!
1학년 총 6반, 공연은 자유. 약 20분간의 무대.
관객은 성원을 보내도 됩니다!
심사위원은 각각 6점 만점으로
어디 다녀 오셨죠?
비밀~.
엄겨——억 하게 평가할 거예요!!
666
보도
와아아 아아아

그럼 첫 번째 무대!
A반.
시작하겠습니다!!
와아아아
와ㅡㅡㅡ오오오오오
아아, 그 애들은 마지막이잖아.
음, 어브노멀 클래스 말인가.
후유ㅡ
개들 차례가 참 기대되는걸.
콩콩
뭐, 학생의 귀여운 음악 놀이지.
훈훈한 눈길로 지켜봐 주도록 할까….

『일화』.
속아서 지위를 빼앗기고 쫓겨난 한 왕자가
정령의 나라에서 마음을 얻는다.
소심하고 오만하지 않으며
작고 약한 왕자.
그런 그에게
정령들은 말을 건넨다.
잘 들으렴. 가장 위에 서기 위해선

『더욱 더』
『탐욕스러워져라』라고.

A반 낭독극
요구전(妖驅傳)
와아아아아아아

제165화 음악제, 개막!!
소년은 상냥한 심성을 이용당해 지위를 빼앗겼고
정령의 마을로 흘러 들어간다.
정령들은 소년을 안아줬다.
자아, 이제 괜찮다. 우리가 너에게…

복수할 방법을
가르쳐주마.
망설임을 버리고, 힘을 얻어라.
지식을 쌓아라.
너를 가벼이 여긴 어리석은 자에게
이빨을 드러내는 것이다.

당신은 강해.
너는 고결해.
욕심을 품어라.
소년이여.
자아.
외쳐라.
나에게 너의 모든 것을
바치는 거다!!

그는
왕이
되어

콰
자신을 강하게 만들어준 정령들과
나라를 세워

그 삶을
노래했다.
와아
대단해-!
박력
끝내준다!!
와아-
최고
-!!

와아아아아
대박—
오로바스래.
저 1학년은 누구야?!
끝내줘—!!
오
오
오
오
오
오
분위기가 엄청 뜨겁네!!
와아….
음음~~
개막하자마자 한 대 맞은 느낌이야…. 진짜 대단하긴 한데….
…좀 위험 하겠어….
소름 돋았어!!

진~~~짜
반짝
반짝
멋있다~~~!!!
이루마!!
깼어?!
응!
엄청난 박력에 놀라서…!! 대단하네…!!
다른 반도 아이디어를 쥐어짰고, 엄청 연습했나 봐!
이 발표로 다들 흥분시켰어….
마음을 전한다는 건 정말 대단해….
와아아아아아아아

음악제는…
참 즐겁구나!!
응!!
하지만! 우승하는 건 저희입니다!
가슴이 뛰기 시작하는 군요!
응!
적이 강할수록 더 불타오르는 법이잖아.
와아아아
오.

와아 아
6점 중
5점!!
추천이니라!!
5
큐파 님이
처음부터
높은 점수를
줬습니다
──!!!
실로 마음을
사로잡는
스테이지
였느니라!
고귀해!!
추천이니라!!
와아 아 아아
오오,
메메 님은
4점
입니다!!
4
첫 팀부터
우승
후보가….
슥…

어…….
암두스키아스 님은……
사, 3점…!!
술렁…
좀~ 엄격한 것 아닌가요?!
에이
정당한 평가야!!
두 번째 줄 오른쪽에서 세 번째.
그래, 너.
가사를 좀 틀렸지?
옆에 있는 애는 노래 타이밍이 살짝 늦었어. 거기 너는 음정이 흔들렸지. 목 상태가 안 좋은 애가 몇 명 있었어.
주역인 망아지 군은 탄력적이고 좋은 목소리지만
약간 폭주하는 느낌이야. 강렬한 것도 나쁘진 않지만, 혼자 놀면 외롭잖아.

아직 젊은 소리네.
하지만 소질이 있으니 앞으로 정진하렴.
…아, 네!!
그리고 왼쪽에서 두번째, 세번째 줄 오른쪽 끝의 애 전화번호 가르쳐줘
어?!!
크—
역시 전 13관은 엄격합니다!!
저게 3점이냐~
기합이 들어가는 군요, 이루마 님!!
응.
저분…
엄청… 엄격할 것 같아!!
꿀꺽…

너는 저분에게 아까 싸움을 걸었다.
네?!!
싸움?! 뭐 어째서 왜?!
뒤편 시끄럽네~
이야~
하지만 처음부터 하이 레벨인걸….
콩콩콩
올해는 레벨이 높겠어.
아까 그 애들이 MAX 아닐까~?
그럼…
다음 반은
공연하기 어렵겠는걸….
콩 콩 콩…

아앙

로노웨
선배의
조언을
듣고…
사이좋게
서로에게
다가서며
대화를
거듭했다….
상대의
장점을
알았고…
대화했으며,
함께
웃었다.
그리고
도달한
결론은…

저
나
의 음악이
더 대단하단 것!!

와 아 아 아 아
그래. 이것은 상대를 속속들이 안 후에 벌이는
싸움이다!
C반 혼돈 합주
오 오오오 오 오 오
노 가드 맞짱이란 느낌이네.
웅
웅
와아 아 아 아 아

와아아아아아아아
와아아아아아

와야야야야
음악제
제166화 네가 선택하는 길

쏴아 아…
쏴아…
거기
있죠…?
쏴아…
어머니….

……
있단다.
어슬렁~
어슬렁~
네가 교문 앞을 왔다 갔다 하기 시작한 30분 전부터
거의 처음부터(인트로) 있었던 거잖아요.
부끄…
어쩌고 있나
싶었는데

건강해 보여서 안심했단다.
움찔
…걱정 끼쳐서
죄송해요.
…….
아버님은요?
기다리고 있단다.

형을 대신해
푸르손 가를
이끌 사람은
너뿐이다.
너라면
그 어떤 악마도
두려워하는
당주가
될 수 있다.
그러니
돌아와 주길
바란다,
라고 하네.

네 아버지의 말이 옳아.
너에게는 재능이 있단다.
나도 네가 돌아와 줬으면 해.
그러니 선택할 거면
진지하게 고르렴, 소이.

전부 이해하고…
그런데도
음악을 선택한다면
응원 할게.
하지만…
규율이….
소이, 나는 말이지…

솔직히
규율 따위
되게
성가시다고
생각해.
왜냐하면
중립 같은 건
개인의
주관이잖니?
흥…
?!
어.

그에게는
거기가 가운데 더라도
다른 이들에겐
다른 장소가 가운데일지도 몰라.
참고로
내가 왜 네 아버지의 편을 드냐면…

내가
네 아버지를
너무너무
좋아하기
때문이야.
말주변이 없어서
완고하고
자주 말문이 막혀.
그래도
입 다문 얼굴은
참 멋지지.
종알
종알
밥도 내가
곁에 없으면 안 먹어.
혼자서는 쓸쓸해서
못 먹는다니,
귀엽지 않아?
밥을 왕창 만들게
된다니깐.
종알
잠깐.
피곤하면
턱을 짚고 졸기도 해.
어머~
한 폭의 그림 같네~ 싶어.
너무 사나이다운 악마라
이 엄마는 항상 가슴이
콩닥대지 뭐니.
종알
종알
어머니….

순진하고 운동치인 데다가 한 발씩 번갈아 뛰기도 못 하고….
어머니!
그만하세요. 교문 앞에서 부모님의 사랑 이야기를 끝도 없이 들었더니 감정이 죽어버릴 것 같아요.
어머
미안.
그러니까
네가 좋아하는 가운데를 골라도 돼.
소이.
너의…

욕망은
어느 쪽이니?

나의…
내 욕망은 당신과 함께 있는 것.
그걸 이룰 수만 있다면 아무것도 필요 없어….

B반
마극(魔劇)
[라즈의 혈혼(血婚)]
모든 것을 버리고
저를 선택해 주시겠어요?
네!

와하하 하 하 하
당신과 함께 살아갈 수 있다면
아무런 후회도 없어.
당신이야 말로
내 생애.

오오오오오오와아
오오! 암두스키아스 님.
4점!!
최고 득점이 나왔습니다——!!
와———!!
짝 짝
하아…. 진짜 감동했어….
정말 멋졌소이다…!!
짝 짝
웅성 웅성
다음은 D반——….
슥…
선생님?

시간이 됐다.
일어 나도록.
웅성
웅성

후반
발표 반은
다시
말씀
드립니다.

이동해
주십시오.
앞으로
발표할
반은
서둘러

준비해
주십시오.

제167화 기대의 소리

으음~~….
내가 가장…
좋아하는 소리는….
제167화 기대의 소리
…님.
포로 님!!
기분이 좋지 않으신가요?
괜찮아.
미안해.

나도 참.
잠시만 정신을 팔면 데루키라 님 기억에 풍덩~ 빠져버리거든….
하아~ 진짜 괜찮은 남자였지
나쁜 사람…☆
그거… 괜찮은 겁니까?
찰싹
그래도 정말 놀랍구나.
올해는 정말 레벨이 높아!! 실로 만족!
남은 건 어브노멀 클래스 뿐인데….
솔직히 더 안 봐도… 마음속은 포만 상태야!
으~~음…
맞아.
그렇게 생각해도 되겠지만…

두
두
두
이상한걸.
이렇게
어브노멀
클래스다!!
우오오
오오~!!
와 아 아 아 아

두두두
기대하는 소리는….
이루마──! 파이팅──!
휘유
여왕님~!!!
빨리 와! 어브노멀 클래스의 공연이 시작되겠어!!

기대 되는걸──.
웅성
웅성
코코도 정말 기대되지?!
응…!
시끌
시끌
내가 약!!
아니나야!!
성주님──!!
와──!!
가프, 힘내~!!
성황 인걸!!
뭐, 우리가 어드바이스를 해줬잖아!
분명 완성도는 끝내줄 거야!
로로──!!
고──
웅성
웅성

더 앞에서 보도록 할까.
길을 비켜로노웨!!
로노웨랑 나타샤가 지나갑니다~
줄 정렬이나 해!!
두 둥
1학년의 축제에서 2학년이 주목받지 마! 학생회는 학생의 모범! 더 절도 있게 행동을….
로로로~
꾸욱 꾸욱
음!
적당한 위치군!
회장님?!

두둥!
이… 이건….
잘 들어라.
학생회로서
누구보다 악마답게 음악제를 즐길 것!! 이것도 중요한 소임이다!!
그, 그렇군요!!
흐흐흥!
준비는 완벽해! 왠지 내가 할 때보다 긴장되는걸…!
이루마의…
좋아하는 사람의… 공연인가.

뭐, 뭐어,
언제 무슨 일이
일어날지
모르잖아!!
제대로
기록해야…!!
두근 두근
좋아해!!
쑤욱
실례하겠
습니다.

오페라 씨!
이사장님!
좋아~. 이루마의 활약을 전부 찍어둬야지~!!
흐흐ー응
뭐야, 뭐야?
웅성
이루마?!
어브노멀 클래스래.
보호자석
웅성
어브노멀!
어브노멀!
어브노멀!
어브노멀!
보도

와아──!!
자아~ 여러분!
진정 하세요!
진정 하세요~!
업노멀!!
업노멀!!
조용!!
다음이 드디어 마지막 발표입니다!!

언제나
바비루스에서
일어나는
소동의 중심!!
「로열 원」을
손에 넣고!
수확제에서도
크게
주목받았죠.

등장───!!
그런 그들이
드디어 음악제라는
큰 무대에 섭니다!
어브노멀
클래스

누니~~
~~임!!
풀썩
흑흑
리,
리드 군?!
무슨 일
이야
제자여!
없어.
어디 간 거야,
누님,
누니이이임~.
술렁
뭐야,
뭐야.
약왕
리드야!!
우에에엥
누님?
트러블?
술렁
술렁
술렁

훗.
그녀를 발견해 봤자…
저벅…
반짝…
과연 의미가 있을까…?
재지~!!
재즈야
꺄-!
멋져
무, 무슨 소리야!
뻔하잖아. 그녀가 선택하는 건 바로 나야.
뭐?!
잠깐!!
!

그녀는 내 것이다!!
잠깐!!
그 이야기라면 나도 잠자코 있을 수 없느니라!!
물러나, 물러나!
저도!!
소생도!
저리 꺼져!
다투는 걸까…?!
시끌
시끌
치, 치정 싸움…?
또
각
!!

펄럭
그녀야.
?!
그녀가 왔어!!
펄럭
펄러억
마중하자. 우리가
사랑해 마지않는….
조…용
쑤욱

어서 와.
리리스 나의
카펫에.

제168화
어브노멀 클래스 ~리리스 카펫~

VOL.19

악마에 입문했습니다! 이루마 군

당신은 분명
와줄 거야.

이것은
다ㅡ안
카펫~
세르실

남자들이 갈구하고 사랑한
극상의
미악마(美惡魔)의 곡……!
따다단
어브노멀 클래스 지옥(헬) 무도(댄스)
~리리스

알레프
그는
순박한
꽃팔이
소년.
리드야~
귀여워~
재미있고
필사적이며
솔직한
귀여운
사랑.

하지만
추악한
마음도
사랑에는
필요해.
잘 가.
그럼
다음은
위험한
향기….

흑과 백의
뱀 무용수.
베트
그
검은 뱀은
사랑을 알고
쾌락을 아는
나쁜 남자.

경험이
부족하네♡
하지만 아직
사랑을 몰라.
기멜
그
하얀
뱀은
보석
처럼
아름
다워.
그보다 더
반짝이는
이는
분명
없어.
그래.
아름다워.

그러니 그가 진흙투성이가 되면서까지 갈구할 상대는
내가 아닌 거야.
좋아.
그럼
말이야,
이쪽은 어때?

위험에서 지켜주는
당신의 세 기사.
다레스
상냥함과
헤
정열과
바우
박식.

똑똑한 박사.
정열의 기사.
상냥한 무사.
항상 정답을 가르쳐줘.
그래서 모험은 못 해.
항상 나를 칭찬해줘.
하지만 꾸짖어주지는 않아.
마음으로 소통할 수 있어.
하지만 붙잡는 힘이 부족해.

나를 지켜주는 것만으로는 부족해….
어머.
거기 계신 분은
자인
제멋대로 왕자님.
그의 사랑, 욕구를 채워줄 수 있는 건
나뿐이야.

쏟아지는 사랑. 그의 미소를 볼 수 있다면.
꺄아-!
힉익
일방통행은 밋밋해.
정말? 만족해?

망설임 이야말로
사랑의 향신료 인걸.

케트
그래.
그는 탐욕적인 남자.
지위도, 명예도
원하는 건 뭐든
반드시 손에 넣는 대부호.

사내다움이
느껴지는
사랑이야.
정말
당돌하고
그의 것이
되어선
안 돼.
그렇기에
나는
사랑은
열어지고
말 테니까.
탐욕적인
그의 손아귀에
들어간 순간부터

누군가와
함께 기르는
사랑 따위.
이래도 안 돼.
저래도 안 돼.
사랑
한다면.
차라리
나 자신을
테트
안 돼.
아니야.

그래.
이대론
안 돼.
분명 있어.
나는 사랑을 손에 넣을 거야.
와아

들려? 푸르손.
대단해.
모두의 환성이, 기대의 눈길이
우리에게 쏟아지고 있어.

모두에게 전해지고 있어.
전율하게 만들고 있어.
우리가
해온 것들이.

곧
클라이맥스야.
와아아아아야

와줘.
나는 여기 있어.
와줘. 와줘.
자아, 내 곁으로
와줘. 나는!

나는
당신과
만나고
싶어…!!

선택하는 건 너야.
이미 결정 했잖니?
가르쳐 줬잖아.

하고 싶은 말이
있다면…
여기에
전부

사랑을
더 많이.
더,

사랑을!
이 몸이
뒤틀리며
사라졌다

다시
태어날
듯이.

요드
아직
보지 못한
당신과.
아아
더욱
더욱

불타는 듯한

사랑이 하고 싶어!!!

아악
와아아아아아아

와아

『악마에 입문했습니다! 이루마 군』 제⑲권/끝

헬 댄스
~리리스 카펫~
캐스트

• 꽃 파는 소년—샤크스 리드
• 검은 뱀 무용수—안드로 M 재즈
• 하얀 뱀 무용수—아스모데우스 아리스
• 상냥한 무사—가프 고에몽
• 정열의 신사—카임 카무이
• 똑똑한 박사—알로켈 슈나이더
• 제멋대로 왕자—아가레스 피케로
• 탐욕스러운 부호—사브노크 사브로
• 리리스의 마음—크로켈 케로리
발락 클라라

리리스—익스 엘리자베타
트럼펫—푸르손 소이

반주—이루마
안무—크로켈 케로리

각 학의 보너스

칭찬 감옥

이야!
분위기
메이커!!
약왕!!!
게임
엄청
잘해!!
인기
있었으면
좋겠대!!
손재주가
좋아!!
야!!
누구야?!
우리의
현왕
(賢王)!!
아름다운
여왕!!
믿음직한
리더!!
백식
(百識)의
왕!!
악마돌에
관한 지식과
댄스도
엄청나!!
사실 인기
많다면서?!!
모르는 게
없어.
통솔력
끝내줘!!
귀여워!!

귀엽다는 말 말고는 쑥스럽네…
자아~.
다음은 아즈아즈야!
척
아즈 차례래! 다들 한가운데로 들어와!
실컷 칭찬 해줄게!
…그럼 이루마 님.
손으로 이렇게… 원을 만들어 주시겠습니까?
?
이렇게?
그럼… 부탁 드립니다.
스으윽…
개,
개인실?!!

아즈아즈, 너무해!! 나도 들어갈래!!
와락
어어?!
이루마찌, 부탁해요!!
어~~. 아즈는… 믿음직하고
강하고 멋있지.
클라라는 귀, 귀엽고
기운 넘치는 데다 다정해.
둘 다
함께 있으면 참 즐거워!
으음…. 칭찬하는 쪽이 부끄러워하네….
저건…
예뻐!
즐거워!
흠
새로운 칭찬 감옥의 형태…군요.
응

읽어주셔서 정말 감사합니다.

THANK YOU FOR READING

〒102-8107　東京都千代田区飯田橋2-10-8
秋田書店 週刊少年チャンピオン編集部気付 西修先生宛

후기

19권!

「리리스 카펫」 봐주셔서
정말 감사합니다!

이번 권에 대한 저의 감상은 그리고 싶었던 장면을 실컷 그렸다! 입니다.
1화 40P를 전부 연극으로 채울 수 있었으니까요.
음악제 편을 시작했을 때부터 그들의 발표는 이런 형태로 하고 싶었습니다. 그리는 게 즐거워서 책상 앞을 벗어날 수가 없었죠. 어서 와, 푸르손 소이.
이걸로 문제아가 다 모였으니, 다음 스테이지를 향해 열세 명이 함께 도전하는 모습을 독자 여러분에게 선보일 수 있을 것 같습니다! 참 즐거워 보이는군요…!
에이코는 리리스 카펫을 관람한 후,
못 움직이게 되어서
보너스에 출연하지 못했습니다.

믿음직한 동료들

스태프 THANKS

· 오사이 씨
· 히로카와 료 씨
· 야하바 아야 씨
· 하타케야마 카즈타카 씨
· 코토부키 나오키 씨
· 마이카와 세미 씨
· 노자와 아미노 씨
· 하치 씨
· 난고 코타 씨
· 담당자 니시야마 씨

감사, 또 감사

최근에 시작한 게임의 힐러 캐릭터에게 그의 이름을 붙였다

악마에 입문했습니다! 이루마군 VOL. 19

2024년 2월 28일 제1판 제1쇄 발행
2024년 11월 30일 제1판 제2쇄 발행

작가 | OSAMU NISHI
번역 | 이승원

발행인 | 오태엽
편집팀장 | 이수춘
편집담당 | 이혜리
미술담당 | 최진주
표지 디자인 | Design Plus
라이츠사업팀 | 이은선, 박경진, 정선주, 신주은, 한승재
전략마케팅팀 | 김정훈, 이강희, 정누리, 김재철
제작담당 | 박석주

발행처 | (주)서울미디어코믹스
등록일 | 2018년 3월 12일
등록번호 | 제 2018-000021
주소 | 서울특별시 용산구 만리재로 192

인쇄처 | 코리아 피앤피

MAIRIMASHITA! IRUMA-KUN vol.19